RAKUN KUNKUN

Yazan: Şokuh Gasemnia
Çeviren: Zeynep Berktaş
Resimleyen: Ercan Polat

Yayın Yönetmeni: Nefise Atçakarlar
Editör: Şebnem Kanoğlu
Yayına Hazırlayan: Gökçen Yüksel
İç Tasarım: Şakir Çolak

Baskı ve Cilt: Neşe Matbaacılık A.Ş.
Akçaburgaz Mahallesi Mehmet Deniz Kopuz Cad No:17
Esenyurt / İSTANBUL
Tel: (0212) 886 83 30
Sertifika No: 22861

2013

Timaş Basım Ticaret ve Sanayi AŞ
Cağaloğlu, Alemdar Mah. Alay Köşkü Cad. No:5 Fatih/İstanbul
Tel: (0212) 511 24 24 (pbx) Belgegeçer: (0212) 512 40 00
Kültür Bakanlığı Yayıncılık Sertifika No: 12364
timascocuk.com • timascocuk@timas.com.tr

iyi ki kitaplarım var...

RAKUN KUNKUN

Bir varmış, bir yokmuş... Kunkun adında küçük bir rakun varmış. Kunkun'un kendisi gibi küçük bir arabası, arabasının da küçücük bir kornası varmış. Kunkun küçük arabasını çok severmiş.

Canı her istediğinde arabasına biner, kornasına basa basa gezermiş. Kornanın sesi "Biip... Biiip..." diye her yerden duyulurmuş. Bu ses Kunkun'u çok eğlendirirmiş.

Bir gün, küçük rakun Kunkun yine arabasına binmiş ve kocaman bir caddede gezmeye başlamış. Caddenin köşesinde küçük bir hastane varmış. Burada küçük hasta hayvanlar yatıyormuş.

Hastanenin önünden geçerken küçük Kunkun'un canı korna çalmak istemiş. Kornasına hızlı hızlı basmaya başlamış. Kornanın sesi caddede yankılanmış:

Biip... Biip... Biip... Biip...

Korna sesini duyan hastaların hepsi uykularından sıçrayarak uyanmışlar. Hep bir ağızdan ağlamaya başlamışlar. Küçük hayvanların ağlama sesi hastaneyi çınlatmış. Hastanenin penceresinden ta... caddeye kadar ulaşmış.

Arabasının camı kapalı olduğu için Kunkun hiçbir şey duymamış. Ama Kunkun'un küçük arabası ağlama sesini duymuş. Hastaların korna sesinden rahatsız olduğunu anlamış. Çok utanmış.

Kornaya,

– Artık Kunkun korna çalmak istese bile çalma, tamam mı, demiş. Bak herkes rahatsız oluyor.

Küçük korna da küçük araba gibi başkalarına karşı çok saygılıymış,

– Tamam, demiş. Bir daha Kunkun istese bile ses çıkarmayacağına söz vermiş.

Kunkun'un oğlu, okuldaki futbol takımının kaptanıymış. Bir gün takım şampiyon olmuş.

Rakun Kunkun, bu sevinci oğluyla paylaşmak istemiş. Arabasını rengârenk bayraklarla balonlarla süslemiş.

Rakun Kunkun arabasına binmiş, doğruca okula gitmiş. Öğrencilerin okuldan çıkmasını beklemeye başlamış.

Kunkun'un oğlu, okul çıkışında babasını görünce çok sevinmiş. Hemen aldıkları kupayı göstermiş. Kunkun, oğlunu tebrik etmiş.

– Aferin benim oğluma, demiş. Haydi bin arabaya da şöyle güzel bir tur atalım. Korna çala çala şampiyon olduğunuzu herkese duyuralım.

Birlikte arabaya binip yola çıkmışlar. Kocaman caddelerden, ışıklı yollardan geçmişler.

Çok geçmeden Kunkun, korna-
sına basmaya başlamış. Fakat o
da ne! Ne kadar bassa da kor-
nadan hiç ses çıkmıyormuş.

Kunkun kornanın neden çalmadığını bir türlü anlamamış. Tabi Kunkun'un, küçük arabasıyla kornanın yaptığı anlaşmadan haberi yokmuş.

Kunkun'un küçük oğlu durmadan,

– Babacığım, haydi korna çalsana, diyormuş.

Kunkun, bastığı hâlde korna çalmayınca mutsuz olmuş. "Böyle hiç eğlenceli değil. Eve dönelim bari." diye düşünmüş.

Kunkun ile oğlu mutsuz mutsuz evlerine dönerken birden karşılarına bir fil çıkmış. Küçük rakun hemen kornaya basmış ama korna yine çalmamış. Bu sefer rakun Kunkun file çarpmamak için direksiyonu hızla çevirmiş. Araba dengesini kaybetmiş devrilerek yoldan çıkmış.

Fil, küçük arabanın kendisine çarpmamak için devrildiğini anlamış. Hemen ambulans çağırmış. Ambulans, "naniii naniii" diye siren çalarak hemencecik gelmiş. Küçük rakunla küçük oğlunu almış.

Küçük hastaların olduğu hastaneye götürmüş. Hastanede bir doktor hemen onlarla ilgilenmiş.

Neyse ki ikisinin de sağlığı iyiymiş. Sadece Kunkun'un biraz başı dönüyormuş.

Doktor,

– Bir süre hastanede yatmanız iyi olur, demiş.

Hemşireler Kunkun'u hastane odalarından birine yatırmışlar.

Küçük arabada da küçük bir hasar varmış. Onu da görevliler tamirhaneye götürmüşler.

Kunkun, hastanede mışıl mışıl uyuyormuş. Aniden duyduğu bir sesle yerinden fırlamış.

Önce sesin ne olduğunu anlayamamış. Sonra bunun korna sesi olduğunu fark etmiş. Küçük Kunkun çok rahatsız olmuş.

– Bu ne kadar yüksek bir ses böyle! Uykumdan uyandırdılar beni, demiş.

O sırada küçük arabasının kornası aklına gelmiş. "Ben de pek çok kez gerekli olmadığı hâlde kornaya basıyorum. Bu kadar rahatsız edici olduğunu bilmiyordum. Artık gereksiz yere asla kornaya basmayacağım!" diye kendi kendine söz vermiş.

Bir gün sonra rakun Kunkun hastaneden, küçük araba da tamirhaneden çıkmış. Kunkun, yarım kalan şehir turunu tamamlamak için oğlunu okuldan almış.

Arabaya bindiklerinde, Kunkun, küçük oğluna hastanede yaşadığı olayı anlatmış.

– Gereksiz yere korna çalmak çok kaba bir davranışmış oğlum. Etrafımızdakiler rahatsız olabilirmiş. Biz korna çalmadan da eğlenebiliriz değil mi, demiş.

Kunkun'un oğlu babasına hak vermiş. Bir daha babasından gereksiz yere korna çalmasını istemeyecekmiş.

Küçük araba ve küçük korna da Kunkun'un oğluyla konuşmasını dinlemiş, duyduklarına çok sevinmişler.

Küçük araba, kornaya,

– Demek Kunkun hatasını anlamış. Artık gereksiz yere korna çalmayacağına göre sen de ses çıkarabilirsin, demiş.

Korna da küçük arabayla aynı fikirdeymiş.

O gün küçük rakun Kunkun, küçük oğluyla beraber çok güzel bir şehir turu yapmış. Gereksiz yere kornaya basmadan şarkılar söyleyerek çok eğlenmişler.

EĞLENELİM – ÖĞRENELİM

✳ Aşağıdaki resmi ortaya çıkarmak için sayıları takip ederek birleştirelim. Sonra da resmi boyayalım.

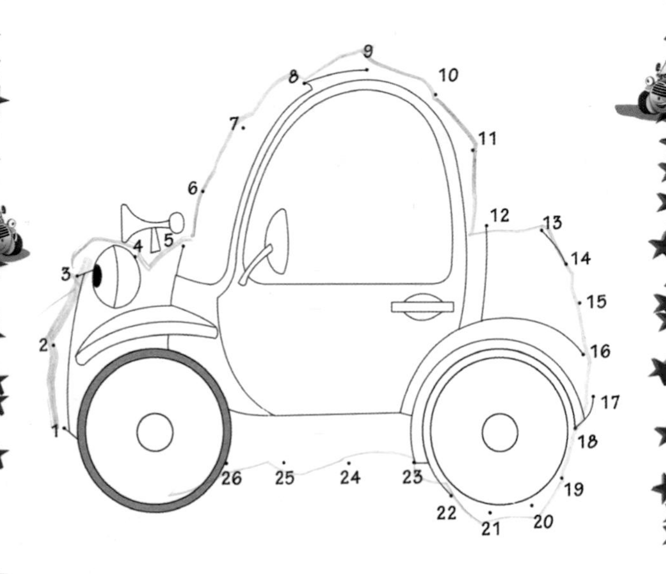